Pour Ewen, le chef !
R. G.

MIXTE
Papier issu de
sources responsables
FSC® C022030

© 2014 Éditions Nathan, Sejer,
25, avenue Pierre-de-Coubertin, 75013 Paris.
ISBN : 978-2-09-255159-2
Loi n°49-956 du 16 juillet 1949
sur les publications destinées à la jeunesse,
modifiée par la loi n°2011-525 du 17 mai 2011.
Achevé d'imprimer en août 2014 par Pollina (85400 Luçon, France) - L68852
N° d'éditeur : 10199135 - Dépôt légal : août 2014.

1 poisson
3 voleurs
1 dragon

René Gouichoux

Janik Coat

Nathan

Il était une fois un tout petit poisson.
Un jour, alors qu'il nage à la surface
de la rivière, le tout petit poisson aperçoit
sur la rive un poisson d'or.
Puis, un peu plus loin, un poisson d'argent.

Curieux, le tout petit poisson saute hors
de l'eau pour voir ces drôles de poissons.
Il saute plus haut pour mieux voir,
il saute encore,
il saute tant… qu'il atterrit sur la rive.
Et ploc !

Soudain un, deux, trois voleurs
arrivent avec un grand sac.

– Héhéhé ! un poisson d'or,
dit le premier voleur.

Il l'attrape et le fourre dans le sac.

– Héhéhé ! un poisson d'argent,
dit le deuxième voleur.

Il l'attrape et le fourre dans le sac.

– Héhéhé ! un tout petit poisson,
dit le troisième voleur.

Il l'attrape et dit :

– Qu'est-ce qu'on va faire de lui ?

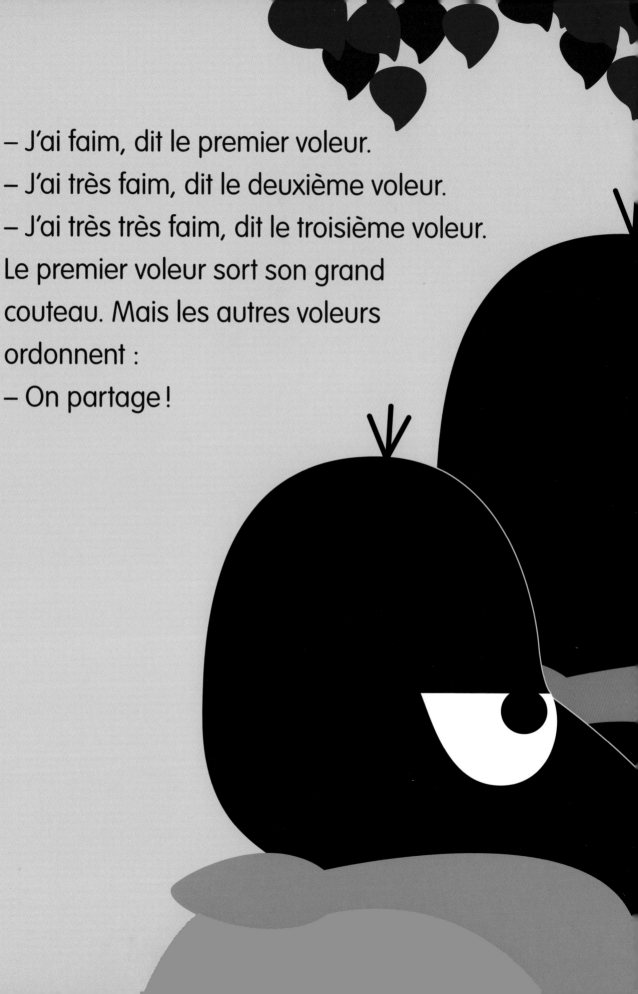

– J'ai faim, dit le premier voleur.

– J'ai très faim, dit le deuxième voleur.

– J'ai très très faim, dit le troisième voleur.

Le premier voleur sort son grand couteau. Mais les autres voleurs ordonnent :

– On partage !

À ce moment-là, le tout petit poisson dit :

– Holala, c'est vraiment bête de partager.

– Et pourquoi ? demandent les voleurs.

– Parce que je suis un tout petit poisson,
avec une toute petite tête, un tout petit corps
et une toute petite queue.

– C'est pas bête ! disent les trois voleurs.

– J'ai une idée, dit le tout petit poisson.
Jouez aux dés et celui qui gagne
me mange en entier.
Les voleurs jouent aux dés
au bord de la rivière.
Le premier voleur fait 1
Le deuxième voleur fait 2
Le troisième voleur fait 3
– J'ai gagné ! J'ai gagné !
crie le troisième voleur.

– Miam miam miam,

dit-il en sortant son grand couteau.

Mais le premier voleur n'est pas d'accord.

– Tu as triché !

Le deuxième voleur est du même avis.

– Tu as triché !

Ils se bagarrent.

Et pim et pam et poum !

À ce moment-là, arrive un dragon.

Un seul.

Wiiiizz, les trois voleurs s'enfuient.

– Miam ! un poisson, dit le dragon.

– Attention, prévient le tout petit poisson,
je suis un poisson magique.

– Ah oui ? raconte un peu ! ordonne le dragon.

– Le premier voleur m'a demandé
un poisson d'argent. J'ai dit oui. Il m'a plongé
dans la rivière. Et hop, j'ai rapporté un poisson
d'argent, explique le petit poisson.

– Et après ? raconte encore ! ordonne le dragon.

– Le deuxième voleur m'a demandé
un poisson d'or. J'ai dit oui. Il m'a plongé dans
la rivière. Et hop, j'ai rapporté un poisson d'or.

– Et après ? raconte encore ! ordonne le dragon.

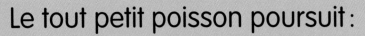

Le tout petit poisson poursuit :
– Le troisième voleur m'a demandé
un poisson de diamant…
– Et alors ? demande le dragon.
– Alors, à ce moment-là, vous êtes arrivé,
dit le petit poisson. En vous voyant,
les trois voleurs ont eu peur,
et ils se sont enfuis.

– On va voir si c'est vrai, déclare le dragon.

Va chercher un poisson de diamant !

– Tout de suite Maître, dit le tout petit poisson.

Prenez-moi par la queue et déposez-moi

dans la rivière.

Le dragon attrape le tout petit poisson

par la queue, il le jette à l'eau,

et… et… et…

Et le tout petit poisson disparaît
au fond de l'eau.
Et bien sûr, il n'est jamais revenu.
Et le dragon, où est-il maintenant?
Il attend toujours au bord de la rivière.
Et les voleurs?
Ils continuent de se disputer.
Et ils n'ont toujours pas mangé.